✳ La Leyenda de ✳
la Flor de Nochebuena

recontada e ilustrada por
Tomie dePaola

SCHOLASTIC INC.
New York   Toronto   London   Auckland   Sydney

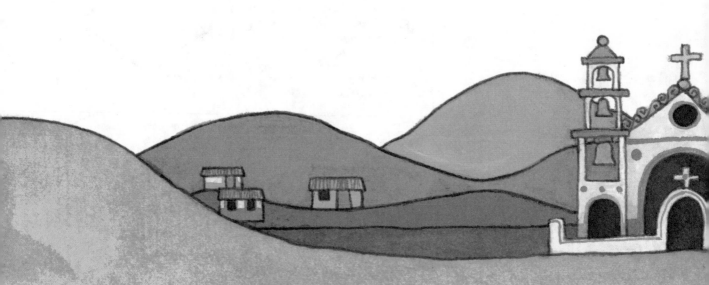

Para Chris O'Brien, quien sabe
que la belleza del regalo consiste en darlo.

ISBN 0-590-61742-7

English text and illustrations copyright © 1994 by Tomie dePaola.
Spanish translation copyright © 1994 by G.P. Putnam's Sons.
All rights reserved. Published by Scholastic Inc., 555 Broadway, New York,
NY 10012, by arrangement with G.P. Putnam's Sons, a division of
The Putnam & Grosset Group.

12 11 10 9 8 7 6 5 4 3 2 1   5 6 7 8 9/9 0/0
Printed in the U.S.A.   09

First Scholastic printing, November 1995

Lucida vivía en una pequeña villa
muy arriba en las montañas de México
con su mamá, su papá,
y su hermano y hermana menores, Paco y Lupe.
Su papá trabajaba en los campos con su burro, Pepito.
Cada atardecer Lucida alimentaba a Pepito,
le daba agua fresca, y llenaba su establo con paja limpia.

En el hogar, Lucida ayudaba a su mamá
a limpiar su pequeña casa y estirar
las tortillas para la comida.

Cuidaba a Paco y a Lupe, y cada atardecer
iban al santuario de la Virgen de Guadalupe, que estaba
cerca del pórtico, para ver si necesitaban velas nuevas.

Pero no se trabajaba todos los días.
Los domingos la familia iba para San Gabriel
a la plaza donde el Padre Alvarez oficiaba la Misa.
Y a través de todo el año había fiestas
y celebraciones, que siempre empezaban con una procesión
que serpenteaba a través de la villa y terminaba en San Gabriel.

Un día, cerca de la Navidad,
el Padre Alvarez vino a su casita.
"Buenos días, Señora Martínez," dijo el Padre Alvarez.
"Vine para preguntarle acerca de la manta
que cubre la figura del Niño Jesús
en la procesión de Navidad.

Hemos usado la misma manta por tantos años
que está completamente gastada.
Como usted teje tan bonito, he venido a preguntarle
si pudiera tejer una nueva."
"Mi padre," dijo la mamá de Lucida, "será un honor para mí.
Y Lucida me ayudará."

El sábado Lucida y su mamá fueron al mercado
a comprar la lana para la manta. Elijieron la mejor
lana que pudieron conseguir.

En la casa Lucida ayudó a su mamá a teñir la lana de los colores del arco iris.

"Esos colores brillarán en la iglesia," dijo su papá, mientras observaba como Lucida y su mamá colocaban la lana en el telar.

A medida que se acercaba la Navidad,
todo el mundo en la villa estaba ocupado.
Todas las mamás hacían regalos para colocarlos
en la iglesia, en el pesebre del Niño Jesús.
Los papás trabajaban juntos haciendo la escena
del pesebre en San Gabriel.

Lucida y los otros niños iban a la iglesia para practicar
las canciones para la procesión de Nochebuena,
que es cuando todo el mundo va caminando a San Gabriel,
cantando y llevando velas.
Una vez dentro, el Padre Alvarez coloca
la figura del Niño Jesús en el pesebre,
y los de la villa se acercan a él y colocan
los regalos a su alrededor.
"Nuestro regalo será la manta para el Niño Jesús,"
dijo Lucida a sus amigos. "Estoy ayudando a mi mamá a tejerla."

Una tarde, unos cuantos días antes de la Navidad,
Lucida y sus amigos se hallaban cantando en la iglesia
cuando llegó la señora Gómez, muy apurada.
"Lucida, tienes que regresar a la casa.
Tu mamá está enferma y tu papá la llevó al pueblo
para que la vea el doctor. Tienes que cuidar a tus hermanitos
hasta que tu papá regrese por la noche."
Lucida tenía mucho miedo. Su mamá nunca había estado enferma.

Cuando llegó a la casa, Paco y Lupe estaban llorando.
Ellos también tenían mucho miedo. Lucida trató de consolarlos.
Les preparó algo de comer y se sentó a esperar a su papá.

Esa noche su papá regresó cansado y se le veía preocupado.
Abrazó a Lucida y le dijo, "Lucida, mi niña,
tu mamá está muy enferma.
Tu tía Carmen la va a cuidar hasta que se ponga mejor,
pero debo regresar y quedarme con ella
hasta que pueda traerla a casa.
Pero no será sino hasta después de la Navidad.
La señora Gómez cuidará de ti y de Paco y Lupe
mientras esté fuera. Vendrá mañana por ustedes."

Al día siguiente por la tarde, Lucida oyó platicar a dos mujeres.
"La mamá de Lucida está muy enferma. No podrá acabar
la manta para la procesión. Qué pena, ¿verdad?"
"Sí," dijo la otra mujer. "Qué desilusión.
El Padre Alvarez tendrá que usar otra vez la manta gastada."

Cuando Lucida fue a la casa para dar de comer a Pepito
y recoger la ropa para ella, Paco y Lupe,
se quedó mirando la manta a medio terminar en el telar.

Quizás pueda acabarla, pensó.
Pero cuando se sentó y trató de tejer,
la lana se enredó. Cuanto más trató de desenredarla,
peor se puso. No tenía remedio.
Nunca podría terminar la manta por su cuenta.

Lucida llevó la manta a la señora Gómez.
"Ay, Lucida, está tan enredada. Ya no queda tiempo
para arreglarla," le dijo la señora Gómez.
"Mañana es Nochebuena."
Lucida comenzó a llorar.
La manta se había arruinado por su culpa.

Su familia no iba a tener un presente
para poner en el pesebre del Niño Jesús.
"No te preocupes, Lucida. Iremos todos
juntos a la procesión."
Lucida no dijo nada, pero su corazón le decía
que ella había arruinado la Navidad.

"Ven, Paco; ven, Lupe. Es hora de ir a la procesión," les llamó la señora Gómez en la Nochebuena. "¿Dónde está Lucida?" No aparecía por ninguna parte. Lucida estaba escondida.

Desde las sombras Lucida observaba a todo el mundo
reunido para la procesión. Las velas estaban encendidas,
comenzaron los cánticos, y los feligreses caminaban
hacia San Gabriel, llevando regalos para el pesebre.
Lucida los siguió entre las sombras
y vio entrar la procesión a la iglesia,
seguidos por el Padre Alvarez llevando al Niño Jesús.

"Dime, pequeña, ¿tú eres Lucida?" Una viejecita
se hallaba allí cerca, parada entre las sombras.
"Sí," respondió Lucida preguntándose quién sería.
"Tengo un mensaje para ti. Tu mamá se pondrá bien,
y tu papá la traerá pronto a la casa.
Así que no te preocupes. Ahora vete a la iglesia
y celebra la Navidad con los demás.
Paco y Lupe te están esperando."

"No puedo," le dijo Lucida. "No tengo un presente
para el Niño Jesús. Mamá y yo estábamos tejiendo
una hermosa manta, pero yo no pude terminarla.
Traté, pero la enredé todita."
"Ay, Lucida, cualquier regalo es hermoso porque se da,"
le dijo la viejecita. "El Niño Jesús amará cualquier cosa que
le des, porque viene de ti."
"¿Pero qué puedo darle ahora?" dijo Lucida
mirando a su alrededor.

En una maraña cercana había hierbas verdes bien altas.
Lucida se acercó corriendo y recogió un montón.
"¿Crees que ésto estará bien?" Lucida se volvió
para preguntarle, pero la viejecita había desaparecido.

Lucida entró a la iglesia. Estaba resplandeciente
con la luz de las velas, y los niños cantaban mientras
caminaba despacito por el lateral, con un montón
de hierbas verdes entre sus brazos.

"¿Qué es lo que lleva Lucida?" susurró una mujer.
"¿Por qué traerá esas hierbas a la iglesia?"
murmuró otra.
Lucida llegó a la escena del pesebre. Colocó las hierbas verdes
alrededor del establo. Luego bajó la cabeza y rezó.

El silencio envolvió la iglesia. Unas voces empezaron
a susurrar. "¡Miren! ¡Miren las hierbas!"
Lucida abrió los ojos y miró hacia arriba.

Cada hierba estaba coronada con una llameante
estrella roja. El pesebre brillaba y refulgía como si
estuviera iluminado por centenares de velas.

Cuando todo el mundo salió después de Misa, todas las matas de altas hierbas verdes del pueblo estaban brillando con estrellas rojas. El sencillo regalo de Lucida se había convertido en algo maravilloso.

Y desde ese entonces, cada Navidad
hasta el día de hoy, las estrellas rojas brillan
en las puntas de las ramas verdes de México.
La gente las llama Flor de Nochebuena.

Nota del Autor

Cuando escuché por primera vez la leyenda Mexicana de la Flor de Nochebuena, acerca de la niñita que ofrece hierbas al Niño Dios como regalo de Navidad, me emocioné mucho, como solamente me conmueve la Navidad. Yo sabía que algún día crearía una historia ilustrada para niños. La preciosa flor silvestre de México es conocida por varios nombres: *flor de fuego, flor de Navidad y flor de Nochebuena*, el nombre que usé en mi historia.

La flor de Nochebuena llegó a los Estados Unidos a través del Dr. Joel Roberts Poinsett, quien sirviera como embajador de nuestro país en México desde 1825 hasta 1830. El estaba fascinado con su belleza y llamó a la planta "hojas pintadas," porque la parte que se cree generalmente que es la flor, es en realidad hojas que rodean una pequeña flor. Cuando regresó de México en 1830 trajo consigo gajos, para Carolina del Sur.

La planta de Navidad, la cual se llama poinsettia en los Estados Unidos en honor al Dr. Poinsett, se adentró en nuestras propias tradiciones Navideñas y nada parece decir "Feliz Navidad" mejor que la maravillosa flor roja y verde, la Flor de Nochebuena.

TdeP